哇！歷史原來是這樣

狐狸家 編著

吃飯簡史

中華教育

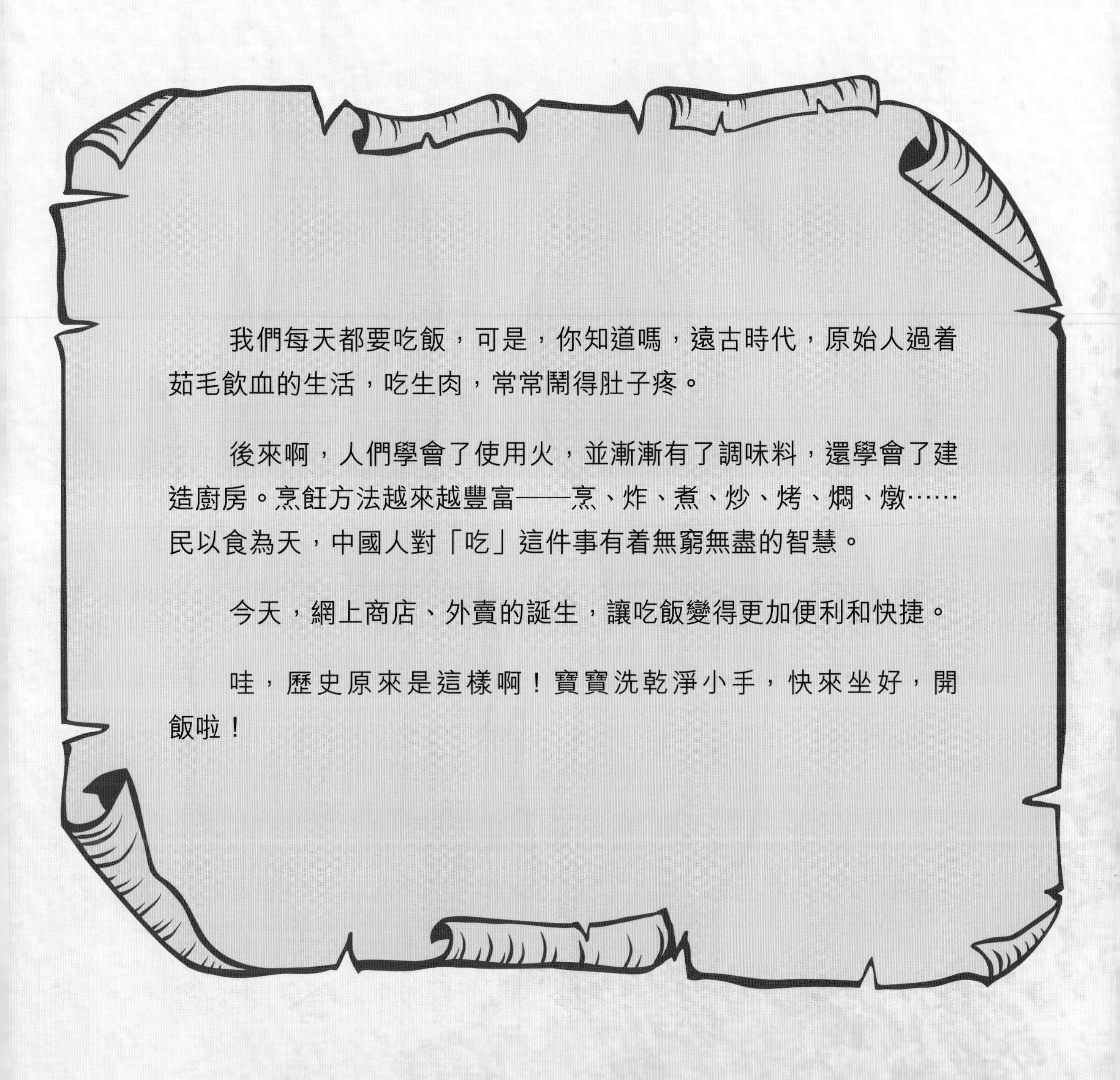

我們每天都要吃飯，可是，你知道嗎，遠古時代，原始人過着茹毛飲血的生活，吃生肉，常常鬧得肚子疼。

後來啊，人們學會了使用火，並漸漸有了調味料，還學會了建造廚房。烹飪方法越來越豐富——烹、炸、煮、炒、烤、焖、燉……民以食為天，中國人對「吃」這件事有着無窮無盡的智慧。

今天，網上商店、外賣的誕生，讓吃飯變得更加便利和快捷。

哇，歷史原來是這樣啊！寶寶洗乾淨小手，快來坐好，開飯啦！

火！火！火！

着火了！

在遙遠的遠古時代，原始人在森林火災過後，偶然發現烤熟的食物更加美味。在那以前，人們都是吃生肉和生野菜的，生的東西味道不好，人吃了還會經常拉肚子。

「別搶我的兔肉！」
「野菜一點兒也不
好吃，苦死了！」
「哎喲，哎喲，我肚子疼。」

有了火就不一樣了。把食物放在火上烤，會散發出誘人的香味，吃到肚子裏也更容易消化。同時，火焰的高溫可以消滅大量病菌，人們吃上了潔淨的食物，身體越來越棒。

為了獲取火種，人們發明了鑽木取火的方法。

開飯啦！今天吃甚麼？

用泥巴裹住山雞，丟進火裏烤。

用燒開的水燙熟野菜。

燒熱石頭，把植物種子放在上面烤。

但是漸漸地，人們覺得食物的味道怎麼好像都一樣。

怎樣才能讓食物變得更美味呢？

人們想了很多辦法，於是，各種各樣的調味料出現了——甜的、酸的、辣的、麻的、鹹的……

辣
麻
鹹
鹽

可是，想吃頓好飯並不容易。

挖個坑，點上火，把鍋放在地坑上方。

咳咳咳，嗆死人啦，冒出這麼多的煙！

別急，別急，安個煙囪就好了！

人們開始建造專門用來生火做飯的廚房。

用磚石砌個灶，立起煙囪，灶膛裏面燒柴火。

咕嘟咕嘟，鍋裏的食物煮熟啦！

「用力搧，讓火
再旺一點兒！」
「快添柴！」

殺豬宰雞
「這道菜馬上就
炒好了！」
擇洗蔬菜

漸漸地，在大戶人家，做菜的方法越來越多樣——煮、蒸、燉、烤、燜、炒、煎、炸……飯菜變得越來越豐盛。

看呀，今天王員外家請客，後廚忙翻天啦！

開飯啦，客人到齊了沒有？

古代的宴席也是很講究的，吃飯、喝酒都有專門的器具。

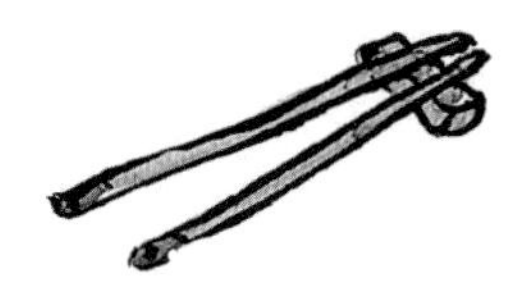

箸 中國人發明的進食工具，也叫筷子。你知道嗎，中國人用筷子吃飯至少已有三千年的歷史了。

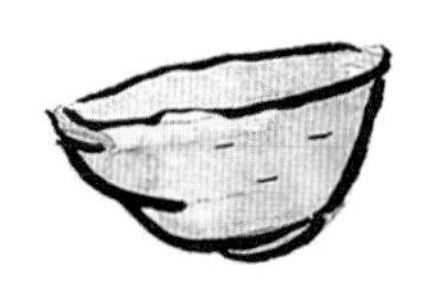

碗 常見的盛食物的器皿。

案 端食物用的有腳的木托盤。成語「舉案齊眉」說的是端飯時把木托盤舉得跟眉毛一樣高，是向吃飯的人表示尊敬的意思。

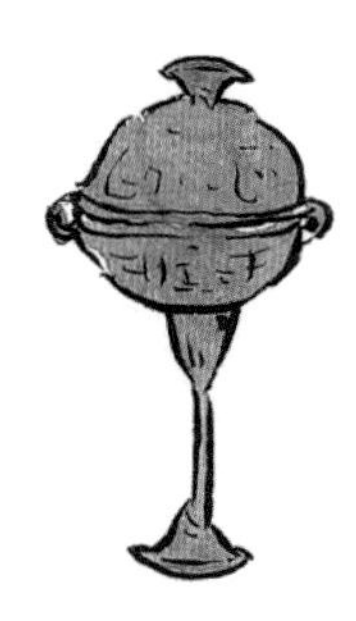

豆 用來盛肉或其他食物的器具，樣子有點兒像現在的高腳杯。

樽 用來盛酒的器具，中間鏤空，可以點火把裏面的酒加熱。

別小看吃飯這件每天都做的事，其中有很多規矩呢！

坐要有坐相，吃要有吃相。此外，還有很多跟吃飯有關的民俗和禮儀。

吃飯時要端起碗，用大拇指扶住碗沿，其餘手指托住碗底。

咀嚼食物和喝湯的時候，不能發出聲音。

晚輩要主動給長輩添飯、夾菜。

吃完飯後不能把筷子放在碗上，應整齊擺放在碗的右邊。

富貴人家吃飯前要奏樂敲鐘，僕人用華麗的器皿來盛飯菜。

每年春節前，北方在臘月二十三、南方在臘月二十四要在廚房祭拜灶神。

包子
餅
香飲子

人們並不只是在家裏吃飯，有時候也會去集市上逛一逛，在館子裏吃一頓過過癮。

包子鋪，餅攤兒，香飲子店（古代的飲品店），茶館，酒肆……哇，真是讓人眼花繚亂！

「吃不下了，吃不下了，再吃肚皮就要撐破了！」

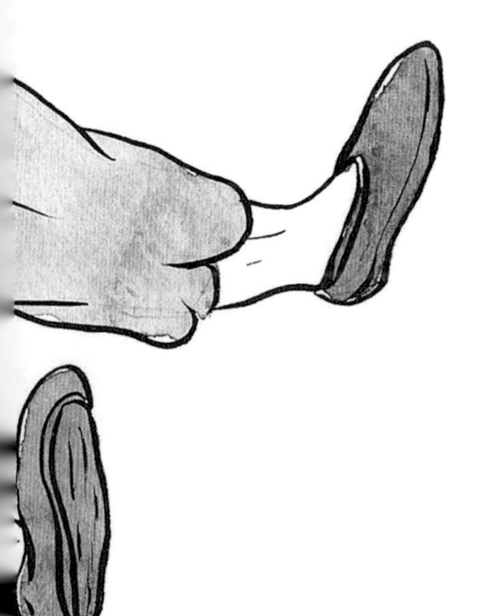

半價

今天，食物的種類越來越豐富，吃飯也越來越便利。

人們可以隨時隨地吃飯，還可以在超市和網上商店買到世界各地的美食。

人們越來越忙碌，快餐店也越來越多。

人們只需在手機上按一按，就會有人把外賣送上家門。

「哇，還是媽媽
做的菜最香！」

　當然了，在家吃飯更衛生，
全家人在一起最溫馨。

我全都吃光光啦！

吃飯簡史

茹毛飲血

石烹

燒、烤、燙、炒

調味料的出現

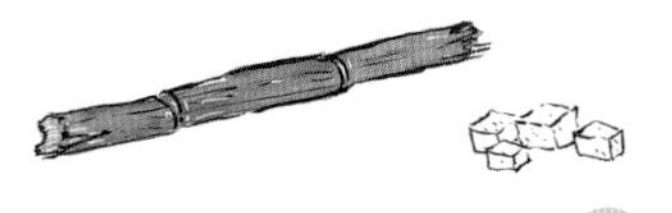

甜

酸

苦

辣

鹹

烹飪方法的發展

煮、蒸、燉、烤、燜、炒、煎、炸

專用器具

箸

碗

案

豆

樽

食肆

酒館

專門場所

用餐方式多樣化

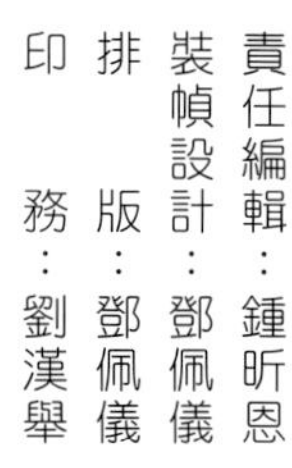

狐狸家　編著

出版｜中華教育
香港北角英皇道 499 號北角工業大廈 1 樓 B 室
電話：(852) 2137 2338　傳真：(852) 2713 8202
電子郵件：info@chunghwabook.com.hk
網址：http://www.chunghwabook.com.hk

發行｜香港聯合書刊物流有限公司
香港新界荃灣德士古道 220-248 號 荃灣工業中心 16 樓
電話：（852）2150 2100　傳真：（852）2407 3062
電子郵件：info@suplogistics.com.hk

印刷｜美雅印刷製本有限公司
香港觀塘榮業街 6 號海濱工業大廈 4 字樓 A 室

版次｜2021 年 11 月第 1 版第 1 次印刷

規格｜12 開（230mm x 230mm）

ISBN｜978-988-8759-96-5